L'eau

L'eau remplit les océans, les ruisseaux
et les rivières. Elle coule du robinet ou tombe
en gouttes de pluie : que d'eau ! que d'eau !
Mais comment les bateaux flottent-ils dessus ?
Pourquoi l'eau gelée est-elle si dure ?
Comment les fleurs se procurent-elles de l'eau
quand il ne pleut pas ? Réalise les expériences
qui suivent, et le précieux liquide n'aura plus
de secret pour toi !

L'EAU, C'EST QUOI ?

L'eau prend toutes les formes. Verses-en dans une gourde, elle en prend la forme. Essaie maintenant de faire rentrer un rocher dans ta bouteille : ça ne marche pas ! C'est parce que l'eau est un liquide et le rocher un solide.

Il te faut :
- un paquet de sucre en poudre
- un verre à moutarde
- un verre à vin

1 Verse du sucre au fond du verre à moutarde. Le sucre prend-il la forme du verre ?

2 À présent, verse le sucre dans le verre à vin. Quelle forme prend-il ?

Le sais-tu ?
Les molécules sont des grains de matière si petits qu'on ne peut pas les voir. L'eau, le sucre, le chat de la voisine et même toi, tout est composé de molécules.
Il en existe de différentes sortes. La molécule d'eau a une forme qui fait penser à une tête de Mickey.

3 Plonge ton doigt dans le sucre. Que font les grains ?

Le sucre prend la forme des verres. Et lorsque tu plonges un doigt dedans, les grains s'écartent. As-tu remarqué que c'est la même chose pour l'eau ? Versée dans un récipient, elle en prend la forme. C'est parce qu'elle est, elle aussi, composée de petits grains invisibles à l'œil nu. On les appelle des molécules. Comme les grains de sucre, les molécules d'eau glissent les unes sur les autres pour s'adapter à la forme des récipients. Et elles s'écartent pour te laisser entrer dans ton bain !

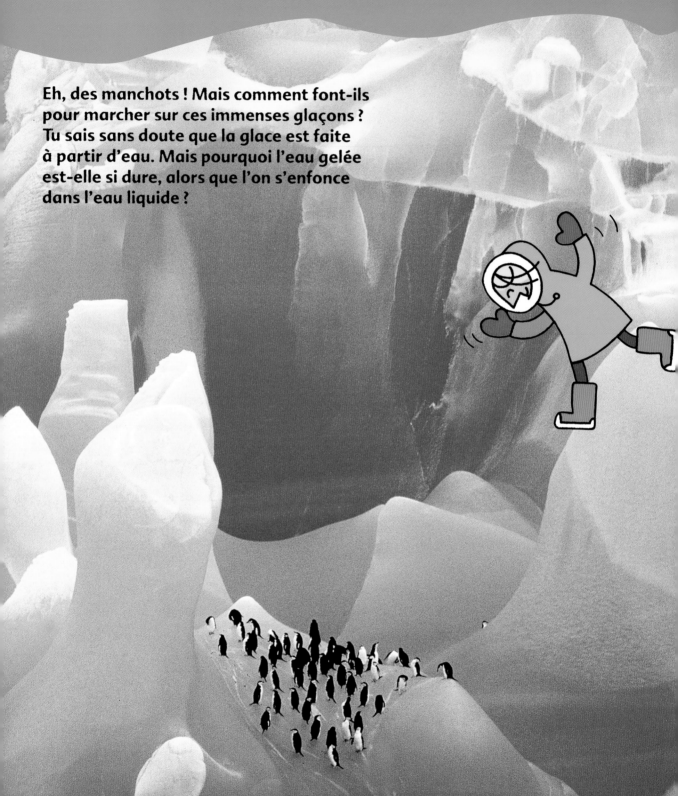

L'EAU DURE COMME LA

Eh, des manchots ! Mais comment font-ils
pour marcher sur ces immenses glaçons ?
Tu sais sans doute que la glace est faite
à partir d'eau. Mais pourquoi l'eau gelée
est-elle si dure, alors que l'on s'enfonce
dans l'eau liquide ?

PIERRE !

Il te faut :
- un gant de vaisselle
- quatre pinces à linge

1 Remplis le gant avec de l'eau.

2 Plie le bord du gant, puis replie-le encore. Avec les pinces à linge, pince le bord du gant.
Vérifie qu'il est bien fermé et que l'eau ne s'en échappe pas.

3 Place le gant au congélateur. Attends toute la nuit puis sors-le.

À ton avis ?
En dessous de quelle température l'eau se transforme-t-elle en glace ?
A. 0 °C
B. 37 °C (degrés Celsius)
C. 100 °C

4 Trempe le gant dans de l'eau tiède pendant quelques secondes. Enlève les pinces et démoule le résultat. Qu'obtiens-tu ?

Réponse A. L'eau gèle en dessous de 0 °C. 100 °C est la température à laquelle l'eau se met à bouillir.

Une main en glace ! Si tu as fait l'expérience de la page 7, tu sais que l'eau est un liquide. Lorsque tu la verses dans le gant, elle en prend la forme. Mais pourquoi la garde-t-elle maintenant ? Parce que, dans le congélateur, il fait si froid que l'eau se transforme en glace. Les molécules d'eau s'attachent alors très solidement entre elles, un peu comme les grains de sucre dans un morceau. Maintenant, l'eau est devenue un solide. Tu ne peux plus enfoncer ton doigt dedans. La glace garde la forme du gant même si on la glisse dans une… chaussette !

LA GLACE QUI GROSSIT

Il y a longtemps, ce bateau naviguait vers le pôle Nord. Lorsque l'hiver est arrivé, la mer a gelé. Or, quand l'eau se transforme en glace, elle gonfle. Le voilier a alors été écrasé par la banquise. Il a ensuite coulé.

Déforme une bouteille... sans y toucher !

Il te faut :
• deux bouteilles d'eau non gazeuse en plastique et identiques.

1 Remplis les deux bouteilles d'eau à ras bord, puis ferme-les. Observe-les. Ont-elles la même forme ?

2 Mets l'une des bouteilles au congélateur pendant toute une nuit.

3 Sors la bouteille du congélateur. Compare à nouveau les deux bouteilles. Ont-elles toujours la même forme ?

Vrai ou faux ?
Lorsque l'eau se transforme en glaçon, elle a besoin de plus de place. À l'inverse, lorsque la glace fond, elle a besoin de moins de place.

Réponse : **Vrai.** Observe la bouteille remplie de glace. Lorsque la glace se réchauffe, elle se dégonfle et la bouteille reprend sa forme de départ.

La bouteille du congélateur est toute déformée ! Son fond est si gonflé qu'elle ne tient presque plus debout ! Si tu as fait l'expérience de la page 9, tu sais que, pour se transformer en glace, les molécules d'eau s'accrochent entre elles. Mais pas n'importe comment : elles se mettent en rond. Or, au milieu du rond, il y a un grand espace vide. Résultat : en gelant, les molécules d'eau occupent beaucoup plus de place. La glace a donc besoin d'un récipient plus grand. Voilà pourquoi elle déforme la bouteille. Parfois, ça fait même se déchirer l'étiquette !

DE L'EAU DANS L'AIR

Ce gros nuage est rempli d'eau.
Elle vient des mers. Lorsqu'il fait chaud,
l'eau des océans s'évapore et s'élève
dans l'air, un peu comme dans
l'expérience qui suit. Quand les nuages
sont remplis de vapeur d'eau, elle se
transforme en gouttes qui tombent
par terre. C'est la pluie.

Fabrique un petit nuage

Il te faut :
- une casserole avec un peu d'eau au fond
- une feuille de papier noir
- une cuillère à soupe

1 Demande à un adulte de faire chauffer la casserole d'eau sur la cuisinière. Au bout de cinq ou dix minutes, tu dois voir des petites bulles remonter à la surface.

2 Demande à un adulte de tenir la feuille noire derrière la casserole. Que vois-tu ?

3 Tiens la cuillère au-dessus de la casserole. Des gouttes d'eau apparaissent-elles sur la cuillère ?

Sur le dessin n°2, il y a de la fumée au-dessus de la casserole ! C'est de la vapeur d'eau, une sorte de petit nuage qui flotte dans l'air. L'eau prend cette apparence quand on la chauffe. Ses molécules se détachent alors complètement les unes des autres. L'eau ne coule pas comme un liquide et n'est pas dure comme un solide (souviens-toi de la glace !). Elle ressemble maintenant à l'air : c'est devenu un gaz. Lorsque ce gaz se cogne contre la cuillère, il redevient liquide et forme des gouttes.

DU SEL DANS L'EAU DE MER

Que fait ce monsieur avec son râteau ?
Il récolte du... sel. Si tu as déjà bu
la tasse, à la mer, tu sais qu'elle est
salée. Lorsque l'eau de mer s'évapore,
il reste du sel que l'on peut manger.

Récolte ton sel

Il te faut :
- Un verre rempli à moitié d'eau et un autre vide
- Un filtre à café
- Une cuillère à café de sel
- Une cuillère en bois
- Une poêle

1 Verse la cuillère à café de sel dans le verre d'eau. Tourne avec la cuillère pendant quelques minutes.

2 Mets le filtre à café dans le deuxième verre et verse l'eau du premier verre. Regarde comme elle est transparente !

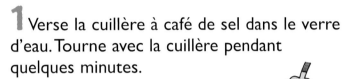

3 Demande à un adulte de faire bouillir cette eau dans une poêle. Elle doit complètement disparaître.

4 Que vois-tu apparaître au fond de la poêle ? Racle avec la cuillère en bois et goûte.

Lorsque tu verses du sel dans l'eau, il se dissout. Même si tu ne le vois plus, il est toujours là. Goûte l'eau et tu verras ! Ensuite, quand tu fais bouillir cette eau, elle s'évapore et part dans les airs. Le sel contenu dans l'eau, lui, ne parvient pas à s'envoler. Il reste dans la poêle. À la fin, il n'y a plus du tout d'eau dans la poêle, juste le sel.

PLUS LÉGER QUE L'EAU

Pouah, une marée noire !
Un pétrolier a coulé en pleine mer.
Le pétrole qu'il transportait s'est échappé.
Curieusement, il ne se mélange pas avec l'eau.
Ce pétrole flotte à la surface, un peu comme un
matelas pneumatique. C'est parce qu'il est plus
léger que l'eau.

Il te faut :
- une règle de 30 cm
- deux crayons à papier
- deux gobelets en plastique
- un verre
- de l'huile
- de l'eau

1 Remplis à moitié un gobelet avec de l'huile. Dans le deuxième gobelet, verse de l'eau pour que le niveau soit le même que dans le gobelet d'huile. Demande à un adulte de vérifier avec la règle.

2 Pose les deux crayons à plat sur la table, l'un contre l'autre. Place la règle dessus, pour qu'elle soit en équilibre. Le centre de la règle doit être au milieu des deux crayons. Tu viens de fabriquer une balance.

3 Pose doucement, et en même temps, un gobelet à chaque extrémité de la règle. De quel côté se soulève-t-elle ?

4 Dans le verre, verse le contenu des deux gobelets. Et regarde bien…

Le sais-tu ?

Si tu as de la crème liquide, du sirop d'érable ou du miel liquide, verses-en un peu dans le verre rempli d'eau et d'huile. Que se passe-t-il ? Sais-tu pourquoi ?

Réponse : elle/il coule au fond du gobelet. C'est parce que sa densité est plus grande que celle de l'huile, et plus grande aussi que celle de l'eau.

La règle de ta balance se soulève du côté de l'huile. Donc, à quantités égales, l'huile est plus légère que l'eau. On dit que sa densité est plus petite. Ensuite, lorsque tu verses les deux liquides dans le verre, l'huile flotte sur l'eau. C'est normal, puisqu'elle est plus légère. Le pétrole flotte sur la mer car, comme l'huile, sa densité est plus petite que celle de l'eau.

UN POIDS LOURD QUI FLOTTE

Ce beau navire en acier est beaucoup plus lourd que la tour Eiffel. Si on plongeait la tour dans la mer, elle coulerait. Le bateau, même s'il est plus lourd, flotte. Pourquoi ? À cause de sa forme.

Il te faut :
- de la pâte à modeler
- un évier rempli d'eau

1 Pose délicatement la boule de pâte à modeler sur l'eau. Coule-t-elle ?

2 Repêche la boule. Fabrique un petit bateau avec un fond bien plat et des bords bien hauts, un peu comme un moule à tarte. Pose-le délicatement sur l'eau. Que se passe-t-il ?

Le bateau flotte ! Alors pourquoi la boule coule-t-elle ? L'eau pousse sur les objets comme un ressort : on appelle ça la pression. En boule, la pâte à modeler ne repose que sur un seul « ressort ». L'eau n'exerce sa pression qu'à un seul endroit et n'arrive pas à la soutenir. Alors la boule s'enfonce un peu, puis l'eau la recouvre et finit par la faire couler. En forme de bateau, le poids de la pâte à modeler s'étale sur plusieurs « ressorts ». L'eau exerce sa pression à différents endroits. Ainsi, elle arrive mieux à la soutenir. Du coup, la pâte à modeler s'enfonce moins et, grâce aux bords du bateau, l'eau ne la recouvre pas. Pour flotter, la forme, ça compte !

Dans l'évier rempli d'eau, pose délicatement un verre vide. Il s'enfonce, mais pas complètement. La pression de l'eau le soutient. En appuyant un peu sur le verre, tu peux sentir les « ressorts » de l'eau : hop ! il remonte ! Mais si tu appuies trop, l'eau rentre dans le verre, qui s'alourdit et coule.

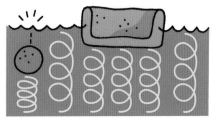

DE L'EAU DANS TON CORPS

Drôle d'animal ! Le corps de cette méduse contient plus de 90 % d'eau. Si on faisait sécher une méduse de 10 kg, elle pèserait moins de 1 kg.

Il te faut :
- une pomme
- deux tranches de pain de mie
- un four micro-ondes ou un four traditionnel
- deux crayons à papier
- une règle de 30 centimètres

1 Coupe la pomme en deux moitiés égales.
Demande ensuite à un adulte de t'aider. Il faut chauffer une moitié de pomme et une tranche de pain trois minutes dans le four micro-ondes, ou trente minutes dans un four traditionnel.

2 Demande à un adulte de sortir les aliments du four. Attends qu'ils refroidissent. Observe-les : ont-ils changé d'allure ?

3 Avec les crayons et la règle, fabrique une balance comme celle de la page 17. Pose une moitié de pomme de chaque côté. Laquelle est la plus lourde ? Remplace les pommes par les tranches de pain. Laquelle est la plus lourde ?

La moitié de pomme qui sort du four est toute fripée et plus petite que l'autre. Le pain est devenu tout dur. Quand tu les pèses, tu vois qu'ils sont plus légers. Que s'est-il passé ? Les aliments contiennent de l'eau. En les chauffant dans le four, leur eau s'évapore : elle quitte la pomme et le pain pour se transformer en vapeur qui flotte dans l'air. Voilà pourquoi ils ont tant maigri !

À ton avis ?
Dans ton corps, il y a autant d'eau que...

A. Dans un verre d'eau ?
B. Dans une grande bouteille d'eau ?
C. Dans dix grandes bouteilles d'eau ?

Réponse : C. Il y a dans ton corps environ 15 litres d'eau !

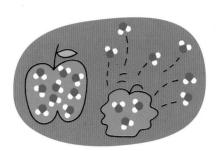

BOIRE AVEC SES RACINES

Ce baobab est surnommé arbre bouteille. Et il en a la forme ! Il vit dans des régions où il ne pleut pas beaucoup. Mais ce n'est pas grave : il y a de l'eau dans le sol. Avec ses racines, il la puise et la garde dans son tronc.

Qui suis-je ?

Je suis un endroit où il y a très peu d'eau. Puisque les plantes, les animaux et les hommes ne peuvent vivre sans eau, ils y sont très rares. Je suis recouvert de sable et de pierres.

Réponse : le désert.

Il te faut :
- deux fleurs blanches (demande au fleuriste des fleurs qui ont besoin de beaucoup d'eau)
- une cartouche d'encre bleue
- une cartouche d'encre rouge
- un stylo-plume
- deux verres

1 Remplis les verres avec de l'eau jusqu'à la moitié.

2 Enfonce la cartouche d'encre bleue dans le stylo pour la percer. Enlève-la et, en appuyant dessus, verse l'encre dans un verre. Perce la cartouche rouge et verse-la dans le deuxième verre.

3 Coupe la tige des fleurs afin qu'elles soient de la hauteur des verres. Mets une fleur dans chaque verre. Place-les sur un radiateur ou dans un endroit chaud pendant quelques heures. Qu'observes-tu ? Que se passe-t-il ?

Surprise ! La fleur mise dans l'eau bleue devient bleutée ! Et les pétales de l'autre sont roses. Pourquoi ? Parce que les fleurs boivent en utilisant leur tige comme une paille. L'eau colorée remonte alors jusqu'aux pétales et leur donne leur jolie teinte. Dans la nature, elles ont des racines plantées dans le sol. Grâce à elles, elles aspirent l'humidité de la terre, qui remonte dans leur tige. Ainsi, elles survivent même lorsqu'il ne pleut pas.

Et si, un jour,
l'eau disparaissait de la surface de la Terre...

Ce matin, Chloé se réveille de fort méchante humeur.
Elle traîne les pieds jusqu'à la cuisine, ouvre le
réfrigérateur et s'empare d'une bouteille de lait. Mais
là, stupeur, il n'y a qu'un petit tas de poudre blanche !
— Encore une blague de mon imbécile de frère !
Drôle de farce car
même les jus de fruits
ont disparu,
tout est à sec !

Furieuse, Chloé va dans la salle de bains.
— Mais que se passe-t-il encore ?
Elle a beau tourner les robinets, pas le
moindre filet d'eau. Impossible de faire
sa toilette !

— Ben, t'en fais une tête ce matin ! lui dit Jules sur le chemin de
l'école. Regarde, le soleil brille et il n'y a pas un nuage dans le ciel.
En effet, l'air est très sec. Dans le square, les feuilles des arbres
flétrissent déjà et les fleurs des massifs piquent du nez.

La maîtresse explique à toute la classe stupéfaite que les lacs et les rivières sont à sec et que, à la place des océans, se trouvent d'immenses tas de sel.
Rien qu'à l'entendre, Chloé meurt de soif.
— Bah ! On boira à la cantine, lui dit Jules, optimiste.

Mais le déjeuner est immangeable !
La viande est dure comme du bois, le pain est rassis, les fruits sont flétris et la salade ressemble à des feuilles de papier.
— Je ne savais pas que les aliments contenaient autant d'eau ! dit Jules, étonné.

Chloé a la gorge serrée.
— Mais c'est horrible, on a tous besoin d'eau pour être en bonne santé.
Sans eau, nous ne pouvons pas vivre plus de quelques jours.

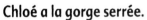

— CHLOÉ, CHLOÉ !
— Quoi, qu'est-ce qu'il y a ?
— Pour demain, tu me copieras cent fois : « Je ne dois pas somnoler en classe », dit sévèrement la maîtresse.
— D'accord, mais, s'il vous plaît, est-ce que je peux aller tout de suite boire un verre d'eau ?

25

L'air

Nous sommes entourés d'air. Il y en a dans nos maisons, dehors, partout. Et c'est tant mieux, car nous en avons besoin pour respirer et pour vivre. Pourtant, l'air est quelque chose de très étrange : on ne peut ni le voir ni le toucher. Quelle vitesse peut atteindre le vent ? Comment font les montgolfières pour s'envoler ? Réalise les expériences qui suivent, et le précieux élément n'aura plus de secret pour toi.

DE L'AIR PARTOUT !

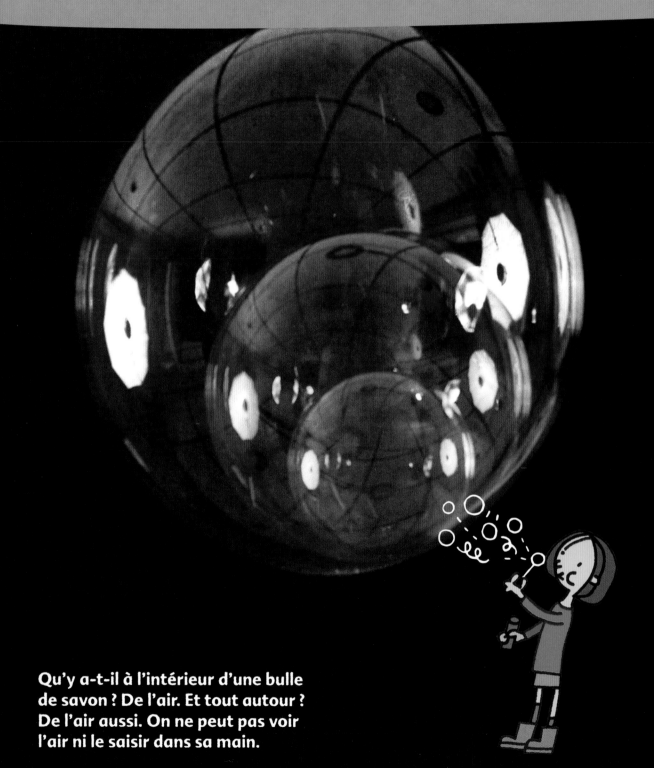

Qu'y a-t-il à l'intérieur d'une bulle
de savon ? De l'air. Et tout autour ?
De l'air aussi. On ne peut pas voir
l'air ni le saisir dans sa main.

Vérifie qu'un verre vide est... plein d'air

Il te faut :
- un verre transparent
- un mouchoir en papier
- un lavabo rempli d'eau

1 Coince le mouchoir au fond du verre. Retourne le verre et plonge-le dans le lavabo. Il doit être entièrement recouvert d'eau.

Dico
L'air est un gaz. On ne peut ni le toucher ni le voir. Ce n'est pas le seul gaz. Il en existe d'autres, comme par exemple les petites bulles qui apparaissent dans un soda ou le gaz de ville utilisé dans certaines cuisinières.

2 Sors le verre, toujours à l'envers, du lavabo. Touche le mouchoir. Est-il mouillé ?

3 Remets le verre à l'envers dans le lavabo. Penche-le lentement. Que se passe-t-il ?

Quand tu prends un verre dans le placard, tu as l'impression qu'il est vide. En réalité, il est rempli… d'air ! L'air occupe tout l'intérieur du verre. Lorsque tu plonges le verre à l'envers dans le lavabo, l'eau ne peut pas rentrer dedans parce qu'il est déjà plein d'air. C'est pour cela que le mouchoir reste sec. Mais si tu penches le verre, des bulles s'échappent. Le verre se vide de son air et se remplit alors d'eau.

L'AIR, C'EST QUOI ?

Pour un bon match de foot, il faut un ballon bien gonflé ! Pour cela, on utilise une pompe pour envoyer de l'air à l'intérieur. Plus il y a d'air dans la balle, plus elle est dure. Mais gare aux trous ! Si le ballon est percé, il devient tout plat. Sais-tu pourquoi ?

Il te faut :
- un verre
- un film alimentaire en plastique
- du sucre en poudre
- une cuillère à dessert
- un crayon bien pointu

1 Verse une demi-cuillerée de sucre dans le verre. Découpe un bout de film plastique et recouvre le verre.

2 Secoue le verre fortement et longtemps. En même temps, regarde à travers le film plastique. Les grains de sucre volent dans tous les sens.

3 Avec le crayon, perce un trou dans le film plastique. Secoue à nouveau le verre. Du sucre arrive-t-il à sortir du verre ?

Pourquoi réaliser une expérience avec du sucre dans un livre sur l'air ? Parce que l'air et le sucre en poudre se ressemblent un peu. Tous les deux sont constitués de grains de matière. Pour l'air, ils s'appellent des molécules. Ils sont si petits qu'on ne les voit pas. Très excités, ils volent dans tous les sens, comme le sucre quand tu secoues le verre. Ils se cognent contre les parois, rebondissent, repartent dans l'autre sens. Et s'il y a un trou, ils en profitent pour s'échapper. C'est ce qui se passe quand le ballon est percé.

Dico

L'air est un mélange de plusieurs gaz. L'un d'eux s'appelle l'oxygène : ses molécules sont constituées d'oxygène. Un autre s'appelle l'azote : ses molécules sont constituées d'azote. L'air contient également un peu de gaz carbonique, de vapeur d'eau et des gaz rares.

31

FORT COMME LE VENT !

Le vent, c'est de l'air qui bouge. Il a parfois beaucoup de force : pendant une tempête, il peut déraciner des arbres. Mais il est aussi très utile : le vent fait tourner ces éoliennes. Elles fabriquent alors de l'électricité.

Fabrique un moulin à vent

Il te faut :
- une feuille de papier de format A4
- des ciseaux
- un crayon
- une grosse bobine de fil à coudre
- du ruban adhésif

1 Prends la feuille de papier. Découpe un carré. Découpe les coins comme sur le dessin. Au centre, dessine un rond un peu plus petit que la bobine. Découpe-le.

2 Pose le carré de papier sur la bobine. Mets du ruban adhésif sur le trou pour que le papier colle à la bobine.

3 Prends un coin du carré. Rabats-le au milieu et scotche-le. Recommence avec les trois autres coins.

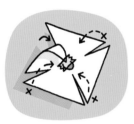

4 Scotche le crayon au bord de la table. Enfile la bobine dessus.

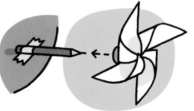

5 Mets-toi devant ton moulin en papier et souffle…

Vrai ou faux ?
Pendant une tempête, le vent va plus vite qu'une voiture sur l'autoroute.

Réponse :
Vrai. Le vent a alors assez de force pour arracher les tuiles des toits ou casser les poteaux électriques. Ces tempêtes très violentes s'appellent des cyclones, des ouragans ou des typhons.

Lorsque l'air ne bouge pas, tu ne le sens pas. Mais dès qu'il se déplace, tu le sens sur ta peau. Souffle sur ta main et tu verras ! L'air en mouvement peut avoir beaucoup de force. Quand tu souffles sur ton moulin, un courant d'air sort de ta bouche. Les molécules de l'air cognent alors si fort contre le papier qu'elles le font tourner.

33

BAISSE LA TÊTE, TU IRAS PLU..

Gloups ! Ce skieur va à 250 kilomètres à l'heure. Aussi vite qu'une voiture de course... S'il se met en boule, c'est pour être freiné le moins possible par l'air. Ainsi, il va encore plus vite.
Les cyclistes font la même chose quand ils se couchent sur leur guidon.

VITE !

Il te faut :
• trois feuilles de papier A4
• une chaise

1 Prends une feuille et plie-la en deux. Prends une deuxième feuille. Plie-la en deux, puis encore en deux.

2 Monte sur la chaise. Dans une main, prends la feuille dépliée. Dans l'autre, la feuille pliée en deux. Tiens-les bien à plat, à la même hauteur, puis laisse-les tomber en même temps. Laquelle arrive la première par terre ?

3 Recommence l'expérience avec la feuille pliée en deux et celle pliée en quatre. Laquelle arrive la première par terre ?

La feuille dépliée tombe moins vite que celle pliée en deux. Et celle-ci va moins vite que la feuille pliée en quatre. Pourquoi ? À cause de l'air ! En tombant, les feuilles cognent contre les molécules de l'air. Ça freine leur chute. Comme la feuille dépliée est plus grande que la feuille pliée en deux, elle rencontre plus de molécules. Elle est donc plus freinée. Voilà pourquoi elle tombe plus lentement. Plus la feuille est petite, plus elle va vite.

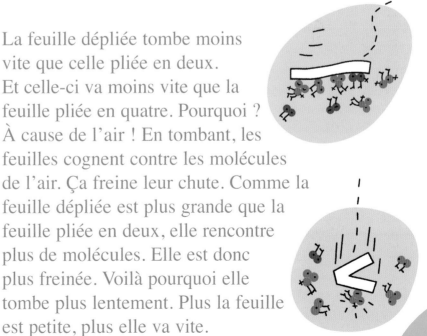

À ton avis ?
Un parachutiste doit tomber lentement. Pour cela, son parachute doit être :
• Petit
• Grand
• Ça n'a pas d'importance.

Réponse : Grand. Comme la feuille de papier de l'expérience, le parachute doit être grand pour être au maximum freiné par l'air.

L'AIR CHAUD MONTE

Pour qu'une montgolfière s'élève dans le ciel, le pilote brûle du gaz et fabrique ainsi de l'air chaud. Comme tu le verras avec la prochaine expérience, l'air chaud monte. Le ballon rempli d'air chaud monte lui aussi. Pour redescendre, il suffit d'attendre qu'il refroidisse.

Fais danser un serpent !

Il te faut :
- une feuille de papier
- un CD
- un crayon
- des ciseaux
- du ruban adhésif
- un fil long comme ton livre
- une lampe

1 Pose le disque sur la feuille de papier. Dessine le contour du disque et le trou au milieu. Enlève le disque et trace un trait en spirale.

2 Découpe le rond en papier. Découpe le papier en suivant la spirale. Scotche la ficelle au centre de la spirale.

3 Tiens le serpent par la ficelle. Tourne-t-il ? Et si tu souffles doucement dessus, tourne-t-il ?

4 Tiens le serpent au-dessus d'une lampe allumée. Que se passe-t-il ?

Le sais-tu ?
Le ballon à air chaud s'appelle une montgolfière parce qu'il a été inventé par les frères Montgolfier. Grâce à leur invention, des hommes ont volé dans le ciel pour la première fois. C'était en 1783, bien avant l'invention des avions.

Au-dessus de la lampe, le serpent se met à tourner, comme quand tu souffles dessus. D'où vient le courant d'air qui le fait tourner ? De l'ampoule allumée. Sa chaleur réchauffe l'air qui l'entoure. Or, l'air chaud est plus léger que l'air froid. Il a donc tendance à s'élever. Au-dessus de l'ampoule, un courant d'air chaud se forme, s'élève vers le plafond et met le serpent en mouvement.

LES AVIONS

Fantastique ! Le 9 octobre 1890, cette drôle de machine s'est élevée de quelques centimètres au-dessus du sol. Pour la première fois, un engin plus lourd que l'air a décollé un petit peu. Son inventeur s'appelait Clément Ader. Il a dessiné sa machine en observant la forme des chauves-souris. Et il l'a baptisée "avion".

Fais voler un avion en papier

Il te faut :
- une feuille de papier A4
- du ruban adhésif

1 D'abord, faisons une première expérience. Mets la feuille de papier sous ta bouche, comme sur le dessin. Souffle très fort. Que se passe-t-il ?

2 Maintenant, faisons l'avion. Plie la feuille en deux sur sa longueur. Ouvre-la et replie les deux coins au milieu.

3 Plie les deux coins une seconde fois

4 Referme l'avion. Rabats les deux côtés pour faire les ailes.

5 Scotche le haut de l'avion. Replie un peu le bout des ailes vers le haut. Ton avion est prêt au décollage !

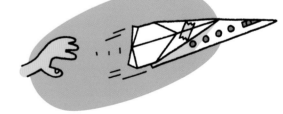

Pourquoi un avion vole-t-il ? On croit souvent que les ailes de l'avion sont portées par l'air qui passe en dessous, un peu comme un bateau est porté par l'eau. En fait, les ailes de l'avion sont aspirées par l'air qui passe au-dessus. Elles sont tirées vers le haut comme ta feuille de papier lorsque tu souffles dessus.

LES FUSÉES

3... 2... 1... décollage ! Cette fusée est aussi lourde que cent autocars. Pour s'envoler, elle envoie des gaz vers le bas à très grande vitesse. Cela la propulse alors vers le haut. Une minute après avoir décollé, elle va déjà plus vite qu'un avion de chasse.

Fabrique ta fusée

1 Enroule la feuille de papier pour en faire un petit tube. Coupe un morceau de ruban adhésif et scotche le tube de papier.

Il te faut :
- un ballon gonflable
- un rouleau de ficelle
- une feuille de papier
- du ruban adhésif

2 Passe la ficelle dans le tube. Accroche un bout de la ficelle à une poignée de porte. Attache l'autre bout à une chaise, à quelques mètres de là. Tire la chaise pour tendre la ficelle.

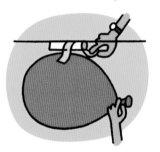

3 Découpe un morceau de ruban adhésif. Gonfle le ballon. Scotche-le sous le tube en papier.

Vrai ou faux ?
Tous les avions ont des moteurs à hélices.

4 Lâche le ballon…

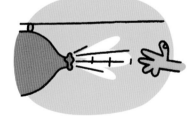

Réponse :
FAUX. Les gros avions ont des moteurs à réaction. Ces moteurs fonctionnent comme ton ballon. En crachant très rapidement de l'air vers l'arrière, ça les propulse vers l'avant.

Tu as fabriqué une vraie fusée ! Quand tu gonfles le ballon, tu enfermes beaucoup d'air à l'intérieur. Dedans, les molécules sont très nombreuses et très serrées. Si tu laisses le ballon ouvert, elles en profitent pour ressortir. En effet, à l'extérieur, elles seront moins serrées. L'air s'échappe à toute vitesse par le petit trou. En réaction, le ballon file à toute allure dans la direction opposée.

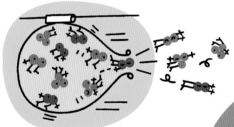

DE L'AIR POUR VIVRE

Il n'y a pas d'air dans l'espace ni sur la Lune. On dit qu'il y a le vide. Pour respirer, les astronautes font comme les plongeurs sous-marins : ils emportent sur leur dos des bouteilles remplies d'air. Grâce à elles, ils peuvent s'aventurer quelques heures loin de leur vaisseau.

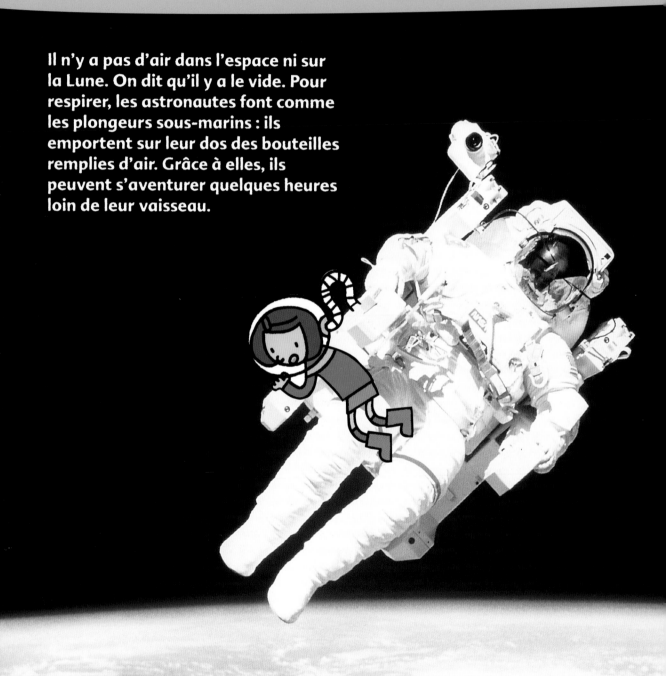

Il te faut :
- une montre avec trotteuse
- du papier
- un crayon

1 Demande à quelqu'un qui a une montre de te dire un premier « top », puis un deuxième trente secondes plus tard. Pendant ce temps, respire normalement et compte le nombre de respirations. Inscris-le sur le papier.

2 Ensuite, un peu d'exercice ! Fais dix fois le tour de ta chambre en courant très vite.

3 Compte à nouveau le nombre de tes respirations pendant trente secondes. Inscris-le sur le papier. Est-ce le même nombre qu'avant l'exercice ?

...is-tu ?
s respirent
...uilles. Le jour,
du gaz carbo-
...un gaz contenu
...n échange, ils
...e l'oxygène.
...st l'inverse :
... de l'oxygène
...nt du gaz
...nique.

Pfff ! Tu respires très vite pour reprendre ton souffle. C'est à cause de l'exercice. Pour fonctionner, une voiture a besoin d'essence. Tes muscles, eux, ont besoin d'un gaz appelé oxygène. Il y en a dans l'air que tu respires. Tes poumons récupèrent ce gaz et ton sang l'apporte jusqu'aux muscles. Lorsque tu fais de l'exercice, tes muscles ont besoin de beaucoup plus d'oxygène. Pour le leur donner, tu dois respirer plus rapidement.

PAS DE FEU SANS AIR...

Pour faire un bon feu de bois, il faut
du bois, des allumettes ou un briquet et...
de l'air. Eh oui ! Sans air, les flammes
s'éteignent. C'est pour cela que, lorsque
les vêtements d'une personne brûlent,
il faut l'enrouler dans une couverture.
On prive alors le feu d'air et il s'arrête.

Éteins une bougie sans souffler dessus

Il te faut :
- une assiette
- un verre
- une bougie bien plus petite que le verre
- des allumettes ou un briquet
- de l'eau

1 Pour toute l'expérience, demande à un adulte de t'aider. Pose la bougie dans l'assiette. Puis verse un demi-verre d'eau au fond de l'assiette.

2 Demande à l'adulte d'allumer la bougie.

À ton avis ?
Un astronaute peut-il faire brûler une allumette sur la Lune ?

Réponse :
NON. Une allumette a besoin d'air pour brûler. Or, sur la Lune, il n'y a pas d'air. L'allumette ne s'enflamme donc pas.

3 Pose le verre à l'envers sur la bougie et attends. Que se passe-t-il ?

Surprise ! L'eau monte dans le verre et la bougie s'éteint. Pour brûler, un feu a besoin d'oxygène. Or, l'air qui nous entoure contient de ce gaz. Au début de l'expérience, la bougie brûle grâce à l'oxygène de l'air contenu sous le verre. À mesure qu'elle brûle, il y en a de moins en moins. L'eau remonte alors dans le verre et prend la place de l'oxygène manquant. Lorsqu'il n'y a plus du tout d'oxygène sous le verre, la bougie s'éteint.

Et si, un jour,
il n'y avait plus d'air...

Aujourd'hui, Simon est invité à l'anniversaire de son copain Thomas.

Il enfourche son vélo, mais son élan est immédiatement stoppé : ses pneus sont à plat.

— Tant pis !

J'y vais à pied...

Une fois chez Thomas, Simon retrouve Lola. Elle l'entraîne dans le jardin pour jouer au foot. Mais le ballon est tout dégonflé, et impossible de lui redonner une forme ronde. Simon s'évertue à souffler, mais rien, pas un soupçon d'air ne sort de sa bouche.

— Bon, je vais essayer le cerf-volant.

Mais, là encore, c'est peine perdue. Visiblement, il n'y plus d'air dans le quartier et donc, bien sûr, pas le moindre souffle de vent...

Simon commence à se sentir bien mal à l'aise : mais que se passe-t-il donc ?

Dans un coin du jardin, il aperçoit un pauvre moineau qui tente par tous les moyens de s'envoler. Ce dernier bat des ailes, s'élance sur ses petites pattes, mais retombe aussitôt le bec contre terre.

Inquiet, le jeune garçon regarde le ciel : pas un nuage, pas un avion...

Et Lola, visiblement, ne se rend compte de rien...

Heureusement, voici la maman de Thomas qui apporte le gâteau d'anniversaire. Elle s'empare d'une boîte d'allumettes et se penche pour allumer les bougies, mais, rien, pas une allumette ne s'enflamme. Le papa de Thomas essaie à son tour avec son briquet, mais aucune flamme .

Soudain, une peur terrible noue le ventre de Simon :

— Depuis tout à l'heure, je n'ai pas entendu un bruit, un son, une parole !

En effet, Lola s'agite, semble lui parler et Simon ne l'entend pas...

De grosses gouttes de sueur perlent à son front.

— Au secours, je deviens fou, que m'arrive-t-il ? AAAAHHHH !

BOUM ! Simon vient de tomber de son lit !

— Quel horrible cauchemar !

Au petit déjeuner, Simon raconte à sa mère ce rêve affreux. Elle lui sourit :

— Et bien, tu as simplement rêvé qu'il n'y avait plus d'air ! Sans air, ni le ballon, ni les pneus ne peuvent être gonflés et il n'y a pas le moindre souffle d'air. Et si, dans ton rêve, tu n'entendais aucun bruit, c'est que l'air transporte les sons jusqu'à nos oreilles ! Mais tu sais, ni Lola ni toi ne vous retrouverez dans une telle situation parce que s'il n'y avait pas d'air, personne ne pourrait vivre !

Le chaud et le froid

Bien sûr, tu connais le chaud et le froid :
tu t'es déjà brûlé la langue avec
de la soupe et tu as grelotté en hiver.
Mais d'où vient la chaleur ? Comment
fonctionne un thermomètre ?
Et pourquoi, sur la banquise,
les ours blancs n'ont-ils pas froid ?
Réalise les expériences qui suivent,
et ce curieux phénomène n'aura
plus de secrets pour toi.

LA CHALEUR, C'EST QUOI ?

En approchant tes mains d'une flamme, tu peux
te réchauffer. Mais la chaleur, qu'est-ce que c'est ?
Qu'est-ce qui fait la différence entre un verre
d'eau froide et un verre d'eau chaude ?

Le sais-tu ?
On a vu que, plus il fait
chaud, plus les grains
de matière sont agités.
Le froid, c'est l'inverse :
plus il fait froid, plus
les grains sont calmes.

Il te faut :
- deux verres
- de l'eau
- de la crème liquide
- une petite cuillère

1 Remplis un verre d'eau froide. Laisse-le une demi-heure au réfrigérateur.

2 Sors le verre du réfrigérateur. Remplis le second verre d'eau chaude du robinet.

3 Verse quelques gouttes de crème liquide dans chaque verre à l'aide de la petite cuillère. Que remarques-tu ?

La crème se mélange plus vite dans l'eau chaude que dans l'eau froide. C'est à cause de la chaleur. L'eau est formée de minuscules grains de matière, les molécules. Ils ressemblent un peu à des grains de sucre en poudre, mais ils sont si petits qu'on ne les voit pas. Lorsque l'eau est chaude, ces grains sont agités. Ils cognent très fort contre la goutte de crème et l'éparpillent. Lorsque l'eau est froide, les grains bougent peu. La goutte de crème reste donc figée. La chaleur, c'est l'agitation des grains de matière. Plus il fait chaud, plus ils sont agités.

LE THERMOMÈTRE

Fait-il chaud ou froid ?
Pour mesurer une
température, on utilise
un thermomètre.
Mais sais-tu
comment
cet instrument
fonctionne ?

Le sais-tu ?
On mesure souvent la température
en degrés Celsius (°C).
Au pôle Sud, il fait – 20 °C.
L'eau gèle à 0 °C.
À 20 °C, il fait bon vivre.
L'eau bout à 100 °C.
La lave d'un volcan fait 1000 °C.
Au cœur du Soleil, il fait
15 000 000 °C.

1 Enlève le plastique qui entoure le goulot de la bouteille vide. Colle un morceau de ruban adhésif sur le goulot.

Il te faut :
- une bouteille de vin en verre
- une casserole
- de l'eau
- un feutre
- du ruban adhésif

2 Remplis la bouteille d'eau froide jusqu'au milieu du goulot. Avec le feutre, inscris le niveau d'eau sur le ruban adhésif.

3 Remplis la casserole d'eau et mets la bouteille dedans. Demande à un adulte de faire chauffer la casserole sur une cuisinière.

4 Laisse chauffer quelques minutes. Observe le niveau d'eau.

Lorsque l'eau chauffe, son niveau monte. Dans l'expérience de la page 51, tu as vu que, plus l'eau est chaude, plus ses molécules s'agitent. Elles ont besoin de plus de place. On dit que l'eau se dilate. Son niveau monte alors dans le goulot. Si maintenant tu laisses l'eau refroidir, les grains se calmeront et le niveau redescendra. Les thermomètres fonctionnent ainsi : ils contiennent un liquide qui monte plus ou moins dans un tube, en fonction de la température. Une règle permet de lire la température.

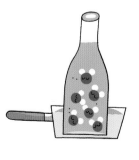

CA VA CHAUFFER !

Les hommes préhistoriques ne connaissaient ni les allumettes ni les briquets. Une façon de faire du feu était de frotter longuement deux bâtons de bois l'un contre l'autre. Le bois chauffe alors si fort qu'il s'enflamme.

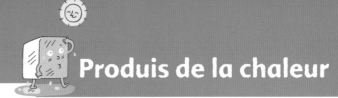

1 D'abord, regarde dans ta maison et cite trois objets qui produisent de la chaleur.

2 Maintenant, tu vas fabriquer de la chaleur. Appuie tes mains l'une contre l'autre. Frotte-les fortement et longtemps. Sens-tu la chaleur ?

3 Prends une gomme et frotte-la fortement et longtemps sur du papier. Chauffe-t-elle ?

Une autre expérience
Mets un peu d'eau savonneuse sur tes mains. Frotte-les fortement ! Maintenant, elles glissent bien l'une contre l'autre : il n'y a plus de frottements. Elles ne chauffent donc plus.

Un objet est chaud lorsque ses grains de matière sont agités. Quand tu frottes la gomme sur le papier, ses grains de matière raclent, bougent, s'agitent. Ils deviennent donc chauds. Pareil lorsque tu frottes tes mains ! La chaleur ne surgit jamais de nulle part. Pour exciter des grains de matière, il faut leur fournir de l'énergie. Sans l'énergie de ta main, la gomme resterait froide. Sans l'énergie de l'électricité, un sèche-cheveux, un four ou un radiateur électrique ne chauffent pas.

CONDUCTEUR OU ISOLANT

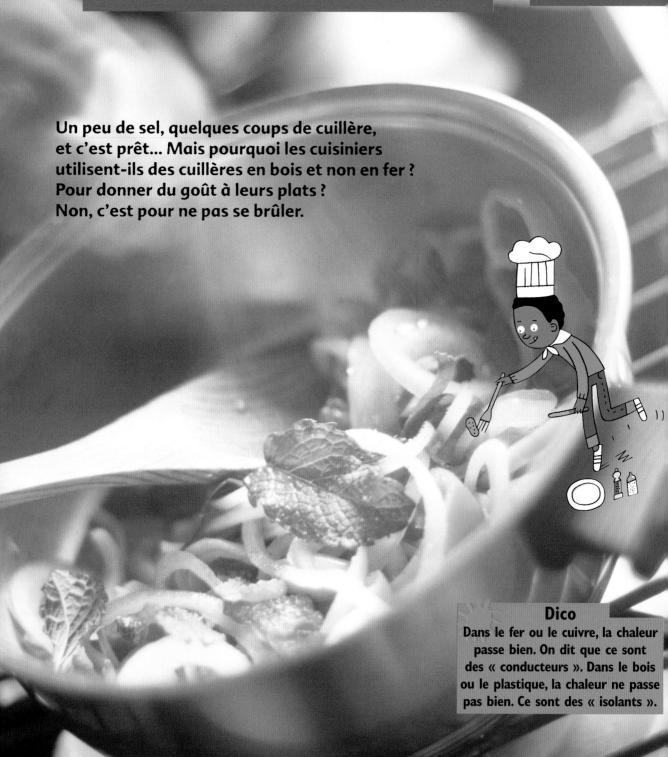

Un peu de sel, quelques coups de cuillère,
et c'est prêt... Mais pourquoi les cuisiniers
utilisent-ils des cuillères en bois et non en fer ?
Pour donner du goût à leurs plats ?
Non, c'est pour ne pas se brûler.

Dico
Dans le fer ou le cuivre, la chaleur
passe bien. On dit que ce sont
des « conducteurs ». Dans le bois
ou le plastique, la chaleur ne passe
pas bien. Ce sont des « isolants ».

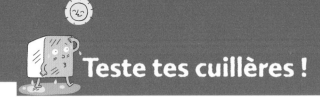

1 Avec le couteau, dépose une petite boule de beurre sur les cuillères. Elles doivent être à la même hauteur par rapport au bout de la cuillère.

Il te faut :
- deux pièces de 1 centime
- du beurre
- une casserole d'eau
- un verre
- un couteau
- une cuillère en bois et une en fer

2 Place une pièce sur chaque boulette de beurre. Appuie un peu dessus pour qu'elles tiennent bien.

3 Mets les deux cuillères dans le verre. Demande à un adulte de faire bouillir un peu d'eau puis de le verser dans le verre. Attends un peu. Quelle pièce tombe la première ?

La pièce sur la cuillère en fer tombe la première. Pourquoi ? En trempant dans l'eau chaude, son bout se réchauffe. Les petits grains de fer s'agitent alors. Très excités, ils agitent à leur tour les grains de fer qui sont un peu plus haut. Et ainsi de suite ! Petit à petit, la chaleur monte dans la cuillère jusqu'au beurre. Il fond et la pièce tombe. Et avec la cuillère en bois ? Son bout dans l'eau se réchauffe aussi. Mais, dans le bois, les grains de matière ont du mal à s'exciter les uns les autres. La chaleur ne remonte pas dans la cuillère. On peut la toucher sans se brûler.

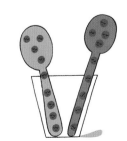 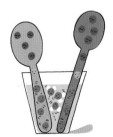

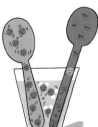

PAS FROID AUX YEUX !

Ah glagla ! Sur la banquise, il fait 20 degrés en dessous de zéro. Pourtant, cet ours blanc ne grelotte pas. Sa graisse et sa fourrure le protègent du froid. C'est vraiment au poil !

Organise un concours de glaçons

1 Pose la poêle sur une table. Mets une noisette de beurre dans la poêle. Avec un doigt, étale-la.

Il te faut :
- une poêle
- des glaçons
- du beurre
- du coton

2 Place un peu de coton sur la poêle, à côté du beurre.

3 Prends trois glaçons. Poses-en un sur le beurre, un sur le coton et un sur la poêle. Lequel fond le plus vite ?

Le glaçon posé directement sur la poêle fond plus vite. Que se passe-t-il lorsqu'un objet froid touche un objet chaud ? Celui qui est chaud se refroidit et celui qui est froid se réchauffe. C'est ce que tu observes ici : sur la poêle tiède, le glaçon se réchauffe et fond. Mais lorsqu'il y a du beurre ou du coton entre la poêle et le glaçon, c'est différent. En effet, la graisse et le coton sont des isolants : ils forment une barrière, qui empêche la chaleur de la poêle d'arriver aux glaçons. Ils fondent donc plus lentement.

À ton avis ?
Quel point commun y a-t-il entre un anorak et une bouteille Thermos ?

Ils isolent du froid. Tu resteras au chaud dans ton anorak, et ton cacao le restera dans une Thermos.

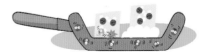

DES HAUTS ET DES BAS

La fumée s'élève toujours vers le haut. Elle est en effet plus légère que l'air. Pourquoi ? Parce qu'elle est chaude. C'est d'ailleurs facile à retenir : le chaud va vers le haut, le froid vers le bas.

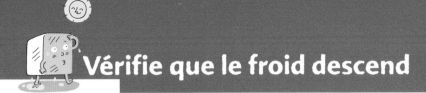

Vérifie que le froid descend

1 Dans l'un des verres d'eau, ajoute une bonne dose de sirop et mélange. Verse la moitié de ce verre dans la casserole.

Il te faut :
- deux verres d'eau
- du sirop
- une paille
- une casserole
- un réfrigérateur

2 Mets le verre de sirop au réfrigérateur une heure. Demande à un adulte de faire bouillir le sirop de la casserole.

3 Plonge une paille dans le verre de sirop du réfrigérateur. Bouche la paille avec ton doigt et sors-la du verre.

4 Plonge la paille dans le deuxième verre d'eau. Enlève doucement ton doigt et regarde le sirop sortir de la paille. Monte-t-il ou descend-il ?

5 Recommence avec le sirop chaud de la casserole. Monte-t-il ou descend-il ?

Le sirop chaud monte ; le sirop froid descend. C'est normal : dans l'eau chaude, les grains de matière sont très agités et prennent plus de place que dans l'eau tiède. L'eau chaude est donc plus légère. Elle a tendance à monter. À l'inverse, l'eau froide est plus lourde que l'eau tiède. Elle coule donc. Il se passe la même chose avec l'air. L'air chaud monte et l'air froid descend. C'est pour cela que la fumée, qui est chaude, s'élève.

DRÔLE DE FONDUE !

Devine ce qui coule ici ? Il y en a dans les voitures, les plaques d'égout, les casseroles... C'est du fer. Chauffé à 1 535 degrés, il fond et devient liquide. Ensuite, en refroidissant, il redevient solide.

Vrai ou faux ?
Le verre est fabriqué à partir de sable.

Vrai. On prend du sable et on le fait fondre, comme quand tu fabriques du caramel à partir de sucre. En refroidissant, cela donne du verre.

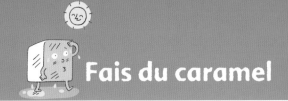

1 Dans la casserole, verse trois cuillères à soupe de sucre.

Il te faut :
- du sucre
- une casserole
- une cuillère à soupe
- une cuillère en bois
- du papier aluminium

2 Demande à un adulte de faire cuire le sucre en tournant avec la cuillère en bois. Observe bien le sucre !

3 Lorsque le sucre est caramélisé, verse-le sur le papier aluminium. Attends quelques minutes. Attention de ne pas te brûler ! Décolle le caramel et mange-le.

Le sucre fond en chauffant et il durcit en refroidissant. C'est la même chose avec le fer. Lorsque le fer est froid, ses grains de matière bougent peu et sont collés les uns contre les autres. Le fer est solide. À 1 535 °C, les grains sont si agités qu'ils se détachent. Le fer devient alors liquide et coule. En refroidissant, les grains se calment et se recollent entre eux. Le fer redevient solide.

UNE LUMIÈRE CHAUDE

Le Soleil se couche : bientôt, sur Terre, il fera nuit et froid. Le Soleil est une immense boule de feu qui nous envoie à la fois sa chaleur et sa lumière. Et ce n'est pas un hasard : chaleur et lumière sont souvent associées.

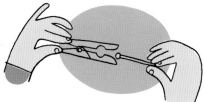

Rends une épingle lumineuse !

1 Coince l'épingle au bout de la pince à linge.

CLIK

Il te faut :
• une bougie
• une épingle
• une pince à linge
• un adulte

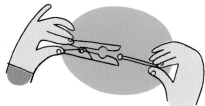

2 Demande à l'adulte d'allumer la bougie et de faire l'obscurité dans la pièce.

3 Tiens la pince à linge de façon à ce que la pointe de l'épingle soit dans la flamme.

Le sais-tu ?

Chaque centimètre carré de la surface du Soleil (c'est la taille d'un ongle !) produit autant de lumière que 500 000 bougies !

4 Après quelques secondes, enlève l'épingle de la flamme. Est-elle rouge et lumineuse ? Attention de ne jamais toucher l'épingle brûlante !

L'épingle chauffée produit une lumière rouge. La lumière est formée de photons, qu'on peut comparer à des petits grains d'énergie. Le fer chaud en fabrique : c'est pour cela qu'il devient lumineux. Mais il n'est pas le seul. À la surface du Soleil, les gaz surchauffés émettent aussi beaucoup de photons. Dans un barbecue, les braises brûlantes deviennent jaune orangé lorsqu'on souffle dessus. Et, dans un volcan, les roches en fusion chauffent parfois si fort qu'elles produisent une lumière rouge.

UNE QUESTION DE COULEUR

Dans les pays du Sud, le Soleil tape fort.
C'est pour cela que les maisons sont
blanches. En effet, il fait moins chaud
dans une maison, une voiture ou des habits
blancs, que dans du noir.

Fabrique un mini chauffe-eau

1 Enlève l'étiquette des boîtes vides. Badigeonne de peinture noire l'une des boîtes.

Il te faut :
- du soleil (ou une lampe de 75 watts)
- deux petites boîtes de conserve identiques
- deux livres
- de l'eau
- un thermomètre
- de la peinture noire

2 Pose un livre sur la table. Pose les deux boîtes dessus. Remplis-les d'eau. Pose le deuxième livre dessus.

Le sais-tu ?
Il existe des chauffe-eau solaires, qui fonctionnent comme ta boîte de conserve noire. L'eau est chauffée par les rayons du Soleil. Cela produit assez d'eau chaude pour les bains d'une famille.

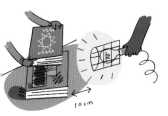

3 Demande à un adulte de placer le tout au soleil (ou à 10 cm de la lampe).

4 Après une demi-heure, plonge le thermomètre dans une boîte. Attends un peu et note la température. Recommence avec l'autre boîte. Laquelle est la plus chaude ?

L'eau est plus chaude dans la boîte noire. Au départ, la même lumière est envoyée vers les deux boîtes. Sur la boîte en fer blanc, cette lumière rebondit, comme un ballon sur un mur. Sur la boîte noire, la lumière est comme avalée. Cette énergie lumineuse excite alors les grains de fer de la boîte, qui se mettent à chauffer. La lumière chauffe donc plus les objets sombres que les objets clairs. En trempant un doigt dans chaque boîte, tu sentiras peut-être la différence.

67

NI CHAUD NI FROID

Souvent, quand on entre dans une piscine, l'eau semble froide. Mais après quelques minutes, elle paraît chaude. Sa température n'a pourtant pas changé. C'est ton corps qui s'est habitué.

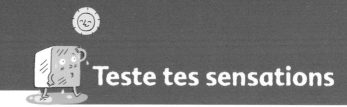

1 Remplis deux verres d'eau froide. Dans le troisième verre, verse de l'eau chaude du robinet (mais pas brûlante !)

Il te faut :
- trois verres
- de l'eau
- des glaçons

2 Mets quelques glaçons dans un verre d'eau froide.

3 Plonge un doigt d'une main dans l'eau chaude, et un doigt de l'autre main dans le verre avec les glaçons. Attends une minute.

4 Plonge rapidement es deux doigts dans le roisième verre. L'eau e paraît-elle chaude ou froide ?

Pour ton doigt qui était dans les glaçons, l'eau du troisième verre paraît chaude. Et pour celui qui était dans l'eau chaude, elle paraît froide. Étonnant, non ? Les nerfs de notre corps sont sensibles au chaud et au froid. Ils indiquent au cerveau qu'il faut enlever la main pour ne pas se brûler, ou mettre un pull pour ne pas prendre froid. Mais parfois, ils se trompent. Après avoir joué dans la neige, une chambre à 20 °C paraît chaude. L'été, après un bain de soleil, la même chambre paraîtra fraîche…

À ton avis ?
Quelle est la température de ton corps ?

Ta température est d'environ 37 °C été comme hiver. La température des serpents et des poissons, elle, change selon l'environnement dans lequel ils se trouvent. Dans l'eau à 10 °C, elle sera de 10 °C.

Et si, un jour,
il n'y avait plus qu'une seule température

Quelle chaleur dans la maison de Lucas !
Avec sa copine Inès, ils n'ont même pas l'énergie
de jouer à la console de jeu.
— Il fait trop trop trop chaud...
J'ai les dents qui transpirent ! s'exclame Lucas.
— Moi, répond Inès, j'aimerais qu'il fasse
20 °C, toujours et partout. Comme ça,
en été, on ne transpirerait plus et
en hiver on n'aurait plus froid.

— Pas bête... Mais l'hiver serait triste sans neige :
plus de ski ni de boules de neige. Et l'été, s'il faisait
toujours frais, on aurait moins de plaisir à plonger
dans une piscine.
— Et bien tant pis ! lance Inès.

— Et tu as pensé aux animaux ? poursuit Lucas.
Aux pôles, les manchots et les ours sont habitués
à des températures glaciales. Avec 20 °C,
ils mourraient de chaud ! Et les loirs, qui
s'endorment et hibernent dès que le froid arrive,
ils seraient complètement perdus sans hiver...
— On leur fabriquerait des réfrigérateurs
spéciaux, suggère Inès.

— Mais ils ne fonctionneraient pas, rétorque Lucas.
Tu as dis que tout ferait 20 °C... D'ailleurs, nous non plus,
on n'aurait plus de réfrigérateur. Impossible de conserver
au frais nos yaourts préférés ou un steak ! Et sans chaleur,
impossible de le cuire. Beurk...
— Ouais, c'est pas génial...

La maman de Lucas, qui écoutait la conversation,
passe la tête par la porte :
— Et savez-vous que la chaleur est indispensable
pour fabriquer du fer, du verre et du plastique ?
Imaginez un monde où cela n'existerait plus ...
— Plus de voitures, de rollers, de disques,
de train électrique...
— Et plus de télé, se désespère Inès. Quel cauchemar !

— Au fait, dit la maman de
Lucas, j'ai des crèmes glacées
au congélateur. Ça vous dit ?
— Oh oui, lance Inès, génial !
— Tu vois, lui fait remarquer
Lucas, le chaud et le froid,
ça a du bon...

Tu sais qu'on fait de la chimie dans des laboratoires et des usines. Mais sais-tu que tu en fais toi aussi tous les jours, sans même le savoir ? Lorsque tu te laves les mains, c'est de la chimie ! Lorsque tu fais cuire un gâteau, c'est aussi de la chimie ! Et ton corps est une véritable usine chimique ! Réalise les expériences qui suivent, et cette science fascinante n'aura plus de secrets pour toi.

La chimie

LA MATIÈRE, C'EST QUOI ?

Avant de parler de chimie,
parlons un peu de la matière.
Tu vois bien que le verre,
l'aluminium ou l'or sont
des matières différentes.
Sais-tu pourquoi ?
Pour le découvrir, regardons
de quoi elles sont faites...

Voyage au cœur de la matière

Il te faut :
- du papier aluminium
- des ciseaux

1 Découpe un morceau de papier aluminium de la taille d'une carte à jouer.

CLIK

2 Coupe-le en deux dans le sens de la largeur. Prends un des deux bouts, et coupe-le encore en deux.

3 Continue à couper le bout en deux, jusqu'à ce qu'il soit trop petit. Quelle taille a-t-il ?

Tu obtiens un minuscule confetti ! Si tu pouvais le couper en deux, encore et encore, le bout deviendrait si petit que tu ne le verrais plus. Finalement, tu obtiendrais un microscopique grain de matière, que tu ne pourrais plus couper en deux. Ce grain de matière s'appelle un atome. Ton confetti d'aluminium est formé de milliards de milliards d'atomes d'aluminium. Une bague en or, elle, est formée d'atomes d'or. C'est parce que les atomes d'aluminium et d'or sont différents, que ces matières sont différentes. Toute la matière qui nous entoure est formée d'atomes. Il existe une centaine d'atomes différents : oxygène, hydrogène, carbone, fluor…

Dico

Comme les briques d'un jeu de construction, les atomes s'accrochent entre eux. Ils forment alors des grappes appelées « molécules ». Par exemple, lorsque deux atomes d'hydrogène s'accrochent à un atome d'oxygène, cela donne une molécule d'eau.

atome d'hydrogène   atome d'hydrogène   atome d'oxygène   molécule d'eau

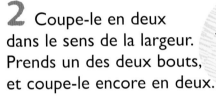

LA CHIMIE, C'EST QUOI ?

Pour découvrir ce qu'est la chimie,
rendez-vous dans... ta cuisine !
Eh oui, on y fait beaucoup de chimie
sans le savoir. C'est grâce à elle
si la mayonnaise devient bien ferme
et si de belles bulles apparaissent
dans la pâte d'un gâteau.

Fabrique des gaz !

Il te faut :
- un sachet de levure chimique
- un demi-verre de vinaigre
- une bouteille en verre vide
- un ballon gonflable

1 Verse le demi-verre de vinaigre dans la bouteille.

2 Verse le contenu du sachet de levure dans le ballon. Puis bouche la bouteille avec le ballon.

Dico
La chimie étudie la façon dont les grains de matière s'accrochent entre eux. Parfois, des atomes séparés s'attachent l'un à l'autre. Parfois des atomes attachés se séparent. On dit alors qu'il y a réaction chimique.

3 Fais tomber la levure du ballon dans la bouteille. Observe bien !

Le ballon se gonfle tout seul. C'est de la chimie ! Le vinaigre est constitué de minuscules grains de matière, les atomes, regroupés en grappes. La levure aussi est formée de grappes d'atomes, différentes de celles du vinaigre. Quand on les mélange, elles réagissent entre elles : elles se cassent et leurs morceaux se raccrochent différemment. Ça donne naissance à des grappes nouvelles. Ici, ce sont les bulles de gaz qui gonflent le ballon. Ce gaz est du « dioxyde de carbone », aussi appelé « gaz carbonique ». Il n'est pas dangereux : c'est lui qui fait gonfler un gâteau au four.

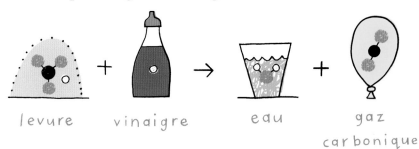

levure + vinaigre → eau + gaz carbonique

DANS TA SALLE DE BAINS

La chimie est utile pour comprendre
le monde qui nous entoure.
Par exemple, pourquoi
des mains grasses
lavées à l'eau
restent-elles
grasses ?
Et pourquoi,
avec un peu de
savon, tout part ?
Mister Chimie
peut l'expliquer !

Réalise un mélange impossible !

1 Remplis le verre à moitié d'eau. Rajoute quatre cuillères à soupe d'huile.

Il te faut :
- un verre
- de l'eau et de l'huile
- du liquide vaisselle
- une cuillère à soupe

2 Mélange bien et attends quelques secondes. L'eau et l'huile restent-elles mélangées ?

3 Rajoute une cuillère de liquide vaisselle.

Le sais-tu ?

Le savon a été inventé dans l'Antiquité, il y a plus de 2 500 ans. On le fabriquait en mélangeant de la graisse et des cendres. À l'époque, on voyait bien que ça lavait, mais on ne savait pas pourquoi : les hommes ne connaissaient pas encore la chimie.

4 Mélange bien. Attends quelques secondes. L'eau et l'huile restent-elles mélangées ?

Impossible de mélanger de l'eau et de l'huile ! La raison est simple : les molécules d'huile n'aiment pas les molécules d'eau. Elles se repoussent et finissent toujours par se séparer. Comme l'huile est plus légère que l'eau, elle monte et flotte sur l'eau. Avec le liquide vaisselle, c'est différent. Les molécules du savon ont un peu la forme d'une épingle. La pointe aime l'huile, la tête aime l'eau. Du coup, une chaîne se forme entre la molécule d'eau, la molécule de savon et la molécule d'huile. Elles restent attachées et forment une mousse, que l'on peut facilement rincer.

DANS LA NATURE

La chimie n'est pas une invention des hommes.
Dans la nature, il se produit plein de réactions
chimiques un peu partout. Par exemple,
celles qui font rouiller ce bateau !

Vrai ou faux ?
On ne peut rien
faire pour protéger
le fer contre la rouille.

Faux ! D'abord, on peut peindre le fer :
la peinture empêche l'eau et l'air
d'atteindre le fer. Ensuite, on a inventé
un acier spécial qui ne rouille pas :
l'inox. Les fourchettes sont en inox.
C'est plus pratique que des fourchettes
peintes, non ?

Fais rouiller du fer

Il te faut :
- une boîte de conserve vide
- une lime
- une assiette
- deux coupelles
- du papier essuie-tout

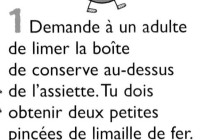

1 Demande à un adulte de limer la boîte de conserve au-dessus de l'assiette. Tu dois obtenir deux petites pincées de limaille de fer.

2 Découpe deux feuilles d'essuie-tout. Plie-les en quatre et poses-en une dans chaque coupelle.

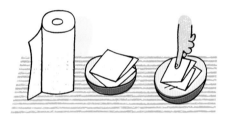

3 Dans l'une des coupelles, verse un peu d'eau pour que le papier soit bien mouillé.

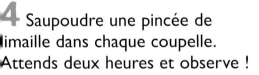

4 Saupoudre une pincée de limaille dans chaque coupelle. Attends deux heures et observe !

Sur le papier mouillé, la limaille a rouillé. Sur le papier sec, non ! Pour que le fer rouille, il faut deux choses : de l'eau et de l'oxygène. L'oxygène est un gaz qu'on trouve dans l'air. Sans oxygène ou sans eau, pas de rouille ! Mais lorsque les trois éléments sont réunis, une réaction chimique se produit : les atomes de fer s'accrochent à ceux de l'eau et à ceux de l'oxygène. Ensemble, ils forment une substance nouvelle : la rouille. C'est elle qui a cette jolie couleur rouge-orangé.

DANS CE QUI VIT !

Tu as devant toi... une usine chimique !
Pour fabriquer leurs feuilles,
les plantes prennent l'eau de la terre
et le gaz carbonique de l'air, et les transforment
en sucre grâce à l'énergie de la lumière du soleil.
Tous les êtres vivants produisent
des réactions chimiques... même toi !

Observe la décomposition de légumes

1 Coupe un morceau de tous les fruits et légumes que tu trouveras chez toi : carotte, pomme de terre, pomme, tomate, lentilles…

2 Passe-les sous l'eau puis, sans les sécher, mets-les dans le bocal. Ferme-le avec le couvercle.

Vrai ou faux ?
Pour fabriquer un bonbon au goût de fraise, il faut forcément des fraises.

Faux. Certains bonbons contiennent des arômes artificiels. Ce sont des molécules qui ressemblent à celles contenues dans les vrais fruits, mais qu'on a fabriquées en usine. Ton nez, lui, ne fait pas la différence. Il croit reconnaître l'odeur du vrai fruit.

3 Place le bocal au chaud : sur un radiateur en hiver ou au soleil en été. Pendant deux semaines, observe ce qui s'y passe. De temps en temps, ouvre le bocal pour l'aérer.

Que de changements ! Après quelques jours, les lentilles germent, les carottes et les pommes pourrissent. Des taches blanches apparaissent : ce sont de minuscules champignons. Les molécules des fruits et légumes se cassent, se transforment pour donner de nouvelles molécules. Mais toi aussi, tu es une usine chimique ! Par exemple, il y a dans ta salive et ton estomac des molécules appelées enzymes. Elles transforment tout ce que tu manges : elles cassent chimiquement la nourriture en petites grappes d'atomes.

DANS UN LABORATOIRE

Bienvenue dans un laboratoire !
C'est ici qu'on invente
de nouveaux matériaux
et qu'on fait des tests.
Que contient cette fiole ?
Grâce à des tests, le chimiste
le découvrira facilement !

Fabrique un test d'acidité

Il te faut :
- un chou rouge
- une casserole d'eau
- quatre verres
- du vinaigre, du jus de citron, de la lessive…
- une cuillère

1 Arrache quatre feuilles du chou. Mets-les dans la casserole d'eau. Demande à un adulte de les faire bouillir quelques minutes.

2 Lorsque ça a refroidi, verse un peu du liquide dans les quatre verres.

3 Dans un verre rajoute du jus de citron. Dans un autre verre, du vinaigre. Mélange bien. L'eau colorée change-t-elle de couleur ?

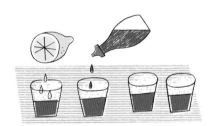

4 Dans un troisième verre, rajoute une cuillerée à soupe de lessive en poudre. L'eau change-t-elle de couleur ?

Au départ, le jus de chou est bleu-violet. Il change ensuite de couleur en fonction de ce que tu rajoutes. Avec des produits acides, comme le citron et le vinaigre, il devient rouge. Avec des produits qui sont le contraire d'un acide, il devient vert : c'est le cas de la lessive. Le jus de chou est donc un test d'acidité. Pour savoir si un produit est acide, verses-en un peu dans le jus et regarde s'il devient rouge.

DANS LES PLASTIQUES

Certaines matières existent dans la nature : le bois, la pierre, la laine, le caoutchouc... Grâce à la chimie, les hommes ont inventé de nouveaux matériaux, comme le plastique ou le tissu synthétique de ce patineur. Sais-tu à partir de quoi on les fabrique ?

Fabrique du plastique... de lait !

Il te faut :
- un verre de lait
- une casserole
- du vinaigre
- une cuillère à soupe
- un filtre à café

1 Verse le verre de lait dans la casserole. Demande à un adulte de le chauffer légèrement.

2 Rajoute trois cuillères à soupe de vinaigre et remue. Regarde les grumeaux se former.

3 Mets un filtre à café sur le verre. Filtre le lait pour ne garder que les grumeaux. Attention de ne pas te brûler !

4 Lorsque la pâte est froide, malaxe-la pour lui donner la forme que tu veux. Laisse-la sécher quelques jours.

Que suis-je ?
Autrefois, j'étais fabriqué avec des plantes. Aujourd'hui, on me fabrique dans des usines. Tu me prends lorsque tu es malade. Je suis...

Un médicament. Aujourd'hui, les médicaments sont souvent des molécules créées dans des laboratoires. Elles n'existent pas dans la nature.

Le lait est composé de molécules d'eau et de molécules très longues, la caséine. Normalement, elles sont bien mélangées. Mais si tu verses du vinaigre, les molécules de caséine s'agglutinent et forment une pâte. Autrefois, on l'utilisait pour fabriquer des plastiques. Aujourd'hui, on utilise du pétrole. Le pétrole est un liquide noir et visqueux qu'on trouve dans le sol. Lui aussi contient de longues molécules. Quand on lui fait subir certains traitements, on obtient des plastiques.

DANS UNE PILE

À l'intérieur d'une pile électrique,
il y a des produits chimiques.
Lorsqu'ils réagissent ensemble,
cela donne de l'électricité.
Une réaction chimique peut donc
produire un courant électrique.
Et l'inverse est aussi vrai : un
courant peut produire une
réaction chimique.

Casse de l'eau !

Il te faut :
- une pile plate de 4,5 volts
- deux fils électriques
- un verre d'eau
- du sel
- du ruban adhésif
- une cuillère

1 Dans le verre d'eau, verse une cuillère de sel et remue bien pour le dissoudre.

2 Scotche le bout d'un fil à une languette de la pile. Scotche le bout du second fil à la seconde languette.

Attention !
Cette expérience se fait avec une pile 4,5 V. Il ne faut surtout pas essayer de la faire avec l'électricité d'une prise. C'est très dangereux. Tu peux t'électrocuter !

3 Avec l'aide d'un adulte, plonge le bout des deux fils dans l'eau salée. Regarde bien ces bouts dans l'eau…

Des petites bulles de gaz apparaissent sur les fils. Grâce à l'électricité de la pile, tu produis une réaction chimique. Regardons ce qui se passe ! L'eau est constituée des molécules. Ce sont des grappes microscopiques composées de trois grains : un atome d'oxygène et deux atomes d'hydrogène. Grâce au sel, l'électricité parvient à traverser l'eau. Elle casse alors les molécules d'eau. Leurs atomes se recollent différemment et donnent du gaz hydrogène et du gaz oxygène. Ce sont les bulles que tu vois apparaître sur les fils.

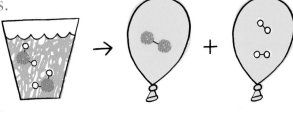

eau → gaz oxygène + gaz hydrogène

Et si, un jour...
il n'y avait plus de chimie...

« Un camion de produits chimiques vient de se renverser. La route a été coupée dans les deux sens. Et maintenant, la météo... »

Valentin baisse la radio, un peu effrayé :

— La chimie, c'est vraiment très dangereux. Il faudrait l'interdire. Plus de produits chimiques, plus de réactions chimiques !

TOC TOC !

— Plus de chimie ? demande Julie. Mais tu es fou ! Sans réactions chimiques, il n'y aurait pas de vie sur terre : c'est grâce à elles si les plantes fabriquent leurs feuilles et si toi tu digères la nourriture.

— Ah oui, j'avais oublié ! En fait, il faudrait interdire toute la chimie, sauf celle qui permet aux êtres vivants de vivre. Ça te va ?

— Non, c'est encore trop ! Tu ne peux pas interdire au fer de rouiller ! Et au sel de se dissoudre dans l'eau de mer ! Et aux feux de brûler !

— C'est vrai, reconnaît Valentin... En fait, ce qu'il faut faire, c'est interdire la chimie quand c'est les hommes qui la font !

— Alors adieu gâteaux et mayo !
s'exclame Julie.

— Pourquoi ?

— La cuisine, c'est de la chimie ! Si la mayonnaise devient solide et les gâteaux gonflent au four, c'est grâce aux réactions chimiques.

— Ouais, tu as encore raison... En fait, ce qu'il faut, c'est interdire seulement les produits chimiques !

— Dans ce cas, poursuit Julie, il n'y aurait plus de jouets en plastique, de médicaments, d'essence pour les voitures, de piles électriques pour la radio, de lessive en poudre... On pourrait encore vivre, mais ce serait comme au Moyen Âge ! Pendant quelques secondes, Valentin s'imagine avec aux pieds des rollers... en bois. Pas pratique !

— En fait, annonce Valentin, ce que je voulais dire, c'est qu'il faut être très prudent quand on utilise des produits chimiques. Il ne faut pas abîmer la nature, pas salir les rivières, pas polluer l'air, pas empoisonner les gens...

— Tout à fait d'accord avec toi, mon pote ! Et maintenant, remonte un peu le son de ta radio en plastique : ils passent ma chanson préférée... Tra la la la la bamba !

Crédit photographique

L'eau

Franco Bonnard/Bios - pages 4/5

Michael Marten/SPL/Cosmos - page 6

B & C Alexander/Cosmos - page 8

L'Illsutration/Keystone - page 10

George Gerster /Rapho - page 12

José F. Poblete/Corbis - page 14

JF Ittel/Corbis Sygma - page 16

Pascal Parrot /Corbis Sygma - page 18

Yvette Tavernier/Bios 24x36 - page 20

Wolfgan Kaehler/Corbis - page 22

L'air

Getty Images et Randy West/Cosmos - pages 26/27

Art Illman et Casey Carle - page 28

Alan Kabukek/Corbis - page 30

John Mead/SPL/Cosmos - page 32

Tony Duffy/Allsport/Vandystadt - page 34

Randy West/Cosmos - page 36

Musée des Arts et Métiers - page 38

ESA/Ciel et Espace - page 40

Nasa/SPL/Cosmos - page 42

Raymond Gehman/Corbis - page 44

Retrouve tous les titres de la collection « Kézako » :

 **AIMANTS**

 L'**AIR**

 LES **ALIMENTS**

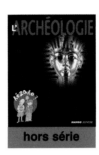 L'**ARCHÉOLOGIE**
hors série

 L'**ASTRONOMIE**
hors série

 **CHAUD ET FROID**

 LES **CHIFFRES**

 LA **CHIMIE**

 LES **CINQ SENS**

 LES **CODES SECRETS**

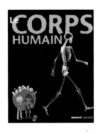 LE **CORPS HUMAIN**

 LA **COULEUR**

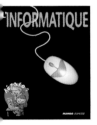 LES **DINOSAURES**
hors série

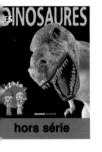 L'**EAU**

 L'**ÉCOLOGIE**
hors série

 L'**ÉCRITURE**

 L'**ÉLECTRICITÉ**

 LES **ILLUSIONS VISUELLES**

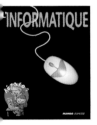 L'**INFORMATIQUE**

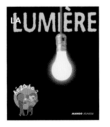 LA **LUMIÈRE**

 LES **MACHINES**

 LA **MÉTÉO**

 LA VIE **MICRO SCOPIQUE**
hors série

 LES **PLANTES**

 LE **SON**

 LE **TEMPS**

 LA **TERRE**